Bilingual Kiddos

PRESS

A a

Ariu

B b

Breshka

C c

Cjapi

Ç ç

Çadra

D d

Delja

Dh dh

Dhurata

E e

Elefanti

Ë ë

Ëmbëlsira

F f

Flutura

G g

Gishti

Gj gj

Gjarpri

H h

Hëna

I i

Ibriku

J j

Jastëku

K k

Kali

L l

Lopa

Ll ll

Llampa

M m

Miza

N n

Nëna

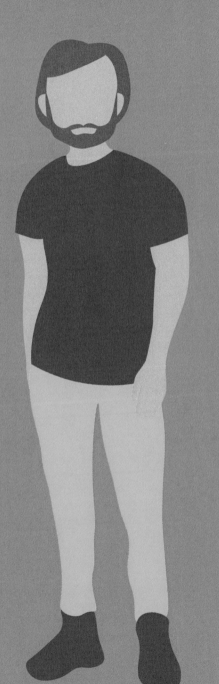

Nj nj

Njeriu

O o

Oxhaku

P p

Pula

Q q

Qeni

R r

Rinoceronti

Rr rr

Rrushi

S s

Syri

Sh sh

Shiu

T t

Topi

Th th

Thika

U u

Ura

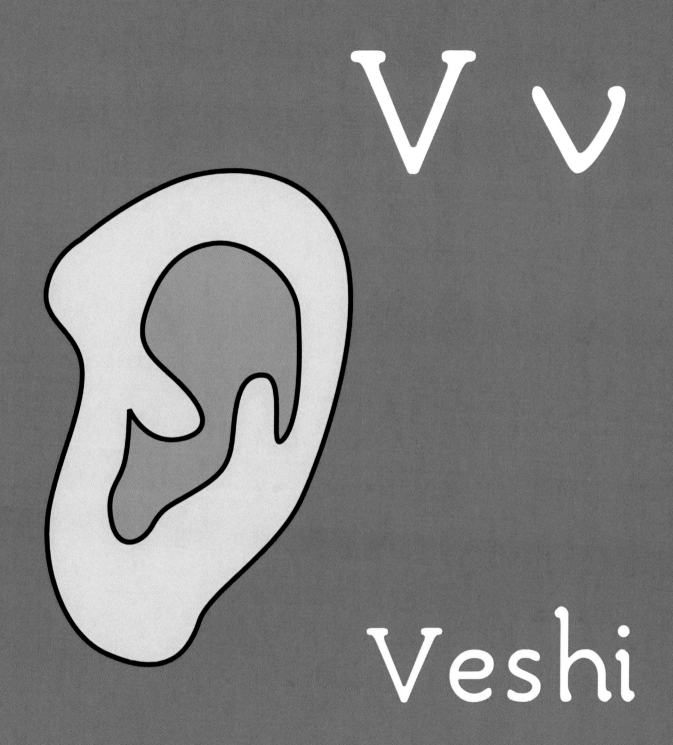

V v

Veshi

Xx

Xixa

Xh xh

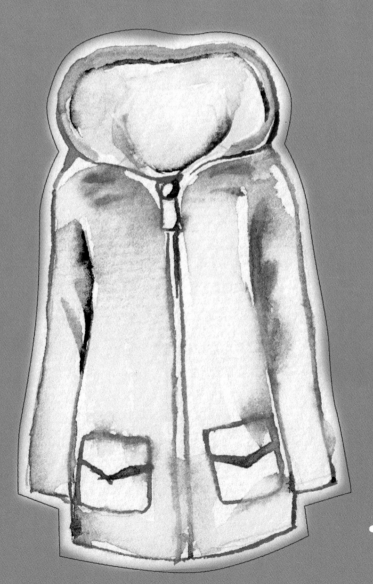

Xhupi

Y y

Ylberi

Z z

Zogu

Zh zh

Zhapiku

If you enjoy this book, please do support us by leaving an honest review on Amazon.
Thank you!